Cadi Wyn a'r Llygoden Gerddorol

Diana Kimpton

Addasiad gan Eleri Huws

Lluniau gan Desideria Gucciardini

Criw Ynys y Cregyn

Cadi Wyn

Penri
Hadog

Siani

Bynsen

Argraffiad cyntaf: 2014

Cyhoeddwyd gyntaf yn Saesneg, yng nghyfres *Amy Wild* gan Usborne

Rhif rhyngwladol: 978-1-84527-500-6

Mae'r cyhoeddwr yn cydnabod cefnogaeth ariannol
Cyngor Llyfrau Cymru

Cynllun clawr: Olwen Fowler

Cyhoeddwyd gan Wasg Carreg Gwalch,
12 Iard yr Orsaf, Llanrwst, Conwy, LL26 0EH.
Ffôn: 01492 642031 Ffacs: 01492 641502
e-bost: llyfrau@carreg-gwalch.com
lle ar y we: www.carreg-gwalch.com

PENNOD 1

"Trueni na alla i aros gartre gyda ti," meddai Cadi Wyn gan wthio'i chas pensiliau i mewn i'w bag ysgol.

"Wel, dyw hynny ddim yn bosib," crawciodd y parot oddi ar ei glwyd o flaen y set deledu. "Mae mynd i'r ysgol yn rhan bwysig o fywyd plentyn."

"Mae Penri yn llygad ei le," cyfarthodd Mostyn gan neidio ar y

soffa a llyfu llaw Cadi. "Paid â phoeni. Bydd popeth yn iawn."

Doedd Cadi ddim yn synnu o gwbl wrth glywed y ci a'r parot yn siarad â hi. Dim ond wythnos oedd ers iddi hi symud i fyw ar Ynys y Cregyn, ond roedd hi eisoes wedi arfer â'r ffaith mai hi oedd yr unig berson oedd yn gallu siarad gydag anifeiliaid – diolch i'r mwclis hud roedd Bopa Gwen wedi'u rhoi iddi.

Ond doedd hi ddim yn edrych ymlaen at ei bore cyntaf yn ei hysgol newydd. "Mae'n iawn i chi'ch dau," meddai. "Does dim rhaid i chi boeni am fynd i ysgol newydd sbon a chithau'n nabod neb yno."

"Rwyt ti'n nabod Blodwen," meddai Penri i'w chysuro. "Mae hi wedi addo

cadw llygad arnat ti, a dweud wrthot ti ble mae popeth."

Teimlai Cadi fymryn yn well wrth feddwl am Blodwen, cath yr ysgol, oedd yn un o'i ffrindiau newydd ar yr Ynys.

Clywodd lais Mam yn galw arni. "Wyt ti'n barod, pwt? Mae'n bryd i ni fynd."

Rhedodd Cadi i'r cyntedd, a Mostyn wrth ei sodlau, yna camodd drwy'r drws oedd yn gwahanu ei chartref newydd oddi wrth y caffi. Roedd Caffi Cynnes ar gau am sbel, a'r cownteri, y byrddau a'r cadeiriau i gyd wedi'u gorchuddio â chynfasau tra oedd Dad yn peintio'r hen le.

Pan welodd e Cadi'n dod i mewn, rhoddodd ei frwsh paent i lawr a throi tuag ati. "Gad i mi dy weld di," galwodd o ben yr ysgol.

Trodd Cadi yn ei hunfan i ddangos ei gwisg ysgol newydd sbon iddo. Teimlai'r crys gwyn a'r sgert lwyd yn stiff o newydd, ond roedd y crys chwys glas yn gyfforddus braf.

“Smart iawn!” ebychodd Dad.

Nodiodd Mam yn fodlon hefyd, ond yna sylwodd ar y mwclis o bawennau aur oedd o gwmpas gwddw Cadi. “Chei di ddim gwisgo’r rheina i fynd i’r ysgol,” meddai.

“Ond Bopa Gwen roddodd nhw i mi!” llefodd Cadi.

“Falle’n wir,” meddai Mam, “ond dyw hynny ddim yn newid y sefyllfa. Dos i’w tynnu nhw – ar unwaith!”

“Iawn, Mam,” atebodd Cadi’n anfoddog. “Fe af i â nhw i’r stafell wely.”

Rhuthrodd i fyny’r grisiau, a Mostyn yn ei dilyn. “*Rhaid* i ti wisgo’r mwclis!” meddai wrthi. “Fe fyddi di ar goll hebddyn nhw!”

“Dwi’n gwybod,” atebodd Cadi’n ddigalon.

Mwclis hud oedden nhw, a phan oedd Cadi’n eu gwisgo gallai siarad gydag anifeiliaid. Heb y mwclis, fyddai hi ddim yn gallu deall ’run gair roedd Blodwen yn ei ddweud wrthi yn yr ysgol.

Safodd o flaen y drych ar y landin a gwthio'r mwclis yn ofalus o dan ei chrys. "Ydyn nhw yn y golwg nawr?" holodd, gan fynd ar ei chwrcwd o flaen Mostyn.

"Nac'dyn," atebodd yntau'n falch, gan ysgwyd ei gynffon wrth i'r ddau redeg yn ôl i lawr y grisiau.

"Da iawn ti," meddai Mam gan edrych ar wddw Cadi. "Nawr 'te, gwell i ni frysio neu fe fyddi di'n hwyr."

"Pob hwyl!" galwodd Dad o ben yr ysgol. "Gobeithio gei di ddiwrnod da."

Doedd Cadi ddim yn teimlo'n hyderus o gwbl wrth ddilyn Mam drwy'r drws ac allan i'r stryd. Fory, byddai'n cerdded i'r ysgol ar ei phen ei hun, fel pob plentyn arall yr un oed â hi. Ond heddiw, ei diwrnod cyntaf, roedd Mam wedi mynnu dod gyda hi.

Cerddodd cath Siamîs tuag atynt o gyfeiriad swyddfa'r post. "Paid â phoeni," mewiodd. "Mae Blodwen yn aros amdanat ti."

Plygodd Cadi a mwytho pen y gath. "Diolch, Siani," sibrydodd yn ddistaw yn ei chlust, rhag i neb ei chlywed.

"Brysia, wir!" ebychodd Mam. "Dwn i ddim beth sy wedi dod drosot ti ers i ni symud i'r Ynys. Rwyt ti'n treulio llawer mwy o amser gydag anifeiliaid na gyda phobl."

Roedd hynny'n berffaith wir, wrth gwrs, ond allai Cadi ddim esbonio pam wrth Mam. Wrth redeg i ddal i fyny â hi, cododd ei llaw at ei gwddw i wneud yn siŵr bod y mwclis hud yn saff. Roedd Bopa Gwen wedi pwysleisio pa mor bwysig oedd cadw'r gyfrinach. Fel arall, gallai rhywun eu defnyddio i wneud rhywbeth drwg.

Wrth i Cadi a Mam droi i'r dde i mewn i lôn gul, droellog, roedd sŵn plant yn chwarae i'w glywed yn y pellter. Yn sydyn, canodd cloch yn rhywle a distawodd y lleisiau.

"Dim ond jest mewn pryd!" meddai Mam, allan o wynt yn llwyr, wrth iddyn nhw droi'r gornel olaf a gweld yr ysgol o'u blaenau.

Fel y rhan fwyaf o adeiladau'r Ynys, roedd yr ysgol a'r wal o'i chwmpas wedi'u codi o garreg lliw mêl. Safai clamp o dderwen fawr yng nghanol y cae chwarae, ac o dan ei changhennau llydan roedd y plant yn brysio i ffurfio llinellau wrth baratoi i fynd i'w dosbarthiadau.

Syllodd Cadi arnyn nhw, yn llawn ofn. Ceisiodd lyncu'i phoer, ond roedd ei cheg yn sych grimp. *Dwi ddim eisie bod fan hyn, meddyliodd, mewn lle dieithr, yng nghanol pobl ddieithr.*

PENNOD 2

Wrth i Cadi gerddded yn nerfus trwy gât yr ysgol, neidiodd cath wen i lawr oddi ar y wal a rhedeg tuag ati. "Paid ag edrych mor ofnus," meddai gan rwbio yn erbyn coesau Cadi. "Does neb yn mynd i dy fwyta di!"

"Dwi mor falch dy

fod ti yma!" llefodd Cadi, gan anghofio'n llwyr bod Mam yn gallu ei chlywed yn siarad gyda'r gath.

Diolch byth, roedd Mam yn meddwl mai siarad amdani hi roedd Cadi. "Fyddwn i ddim wedi hoffi i ti orfod dod yma ar ben dy hun heddiw," meddai'n falch.

Cerddodd dynes ganol oed draw tuag atyn nhw ar draws buarth yr ysgol. "Mrs Wyn?" holodd, gan ysgwyd llaw Mam. Yna trodd at Cadi a gwenu. "Croeso i Ysgol yr Ynys, Cadi," meddai. "Mrs Morgan ydw i – dy athrawes newydd di. Dewch gyda fi . . ."

Edrychodd Cadi o'i chwmpas wrth iddi hi a Mam ddilyn Mrs Morgan drwy'r brif fynedfa. Adeilad mawr modern yn y ddinas oedd ei hen ysgol, a thros dri chant o blant yno, ond adeilad bach henffasiwn oedd Ysgol yr Ynys.

"Dewch i mi eich cyflwyno i Mr Prys, y Pennaeth," meddai Mrs Morgan wrth Mam gan agor drws y brif swyddfa. "Bydd e am i chi lenwi ychydig o ffurflenni ac ati. Fe af i â Cadi i gwrdd â'i dosbarth newydd."

Cerddodd Mrs Morgan yn gyflym ar hyd y coridor, a Cadi'n gwneud ei gorau i gadw lan â hi. Rhedai Blodwen wrth ei hochr, gan enwi pob stafell yn ei thro. "Stafell yr athrawon, toiledau, cwpwrdd storio, cyntedd, adran y babanod . . ."

Ond doedd Cadi ddim yn gallu canolbwyntio. Roedd hi'n poeni gormod am gwrdd â'r plant eraill am y tro cyntaf.

O'r diwedd, stopiodd Mrs Morgan y tu allan i'r drws olaf ond un a'i wthio ar agor. "Yr adran iau," sibrydodd Blodwen wrth iddyn nhw gamu i mewn i'r stafell. Tawelodd y plant ar unwaith a syllu ar Cadi. Roedd pymtheg ohonyn nhw – wyth merch a saith bachgen.

Doedd Cadi ddim yn hoffi syllu'n ôl, felly edrychodd o gwmpas ei stafell ddosbarth newydd oedd yn gymysgedd ryfedd o'r hen a'r newydd. Roedd hi wedi gweld lluniau o stafelloedd tebyg – gyda'u ffenestri uchel a'u desgiau pren – mewn llyfrau hanes, ond roedd y bwrdd gwyn a'r rhes o gyfrifiaduron yn fodern iawn.

"Nawr 'te, blant," cyhoeddodd Mrs Morgan, "rhowch groeso i'r ferch newydd – Cadi Wyn. Dwi am i chi i gyd

sefyll yn eich tro, a chyflwyno'ch hunain."

Wrth i'r plant ddweud eu henwau, gwnaeth Cadi ei gorau glas i gofio pwy oedd pwy, ond roedd hynny mor anodd – yn enwedig gyda'r efeilliaid, Carys a Cerys Parri. Roedd y ddwy 'run ffunud â'i gilydd!

"Dyma lle byddi di'n eistedd," meddai Mrs Morgan, gan arwain Cadi at ddesg wag. "Reit, blant – mae'n hen bryd i ni gychwyn ar y wers gyntaf."

"Gobeithio gawn ni stori," meddai Blodwen, oedd yn gorwedd yn belen o dan gadair Cadi. "O na," mewiodd yn siomedig, wrth wrando ar Mrs Morgan yn cyflwyno'r wers. "Mathemateg!"

Ond roedd Cadi'n hoffi mathemateg. Hi oedd y gyntaf i orffen ei thaflen waith, a rhoddodd Mrs Morgan un fwy anodd iddi. Yn anffodus, sylwodd sawl un yn y dosbarth ar hyn.

"Hy!" cwynodd Melangell Mair dan ei hanadl wrth iddyn nhw fynd allan o'r dosbarth amser egwyl. "Dy'n ni yn Ysgol yr Ynys ddim yn hoffi pobl sy'n dangos eu hunain."

"Do'n i ddim yn gwneud y fath beth!" protestiodd Cadi.

"A dy'n ni ddim yn hoffi rhywun sy'n droswr chwaith," ychwanegodd Meurig Morris. Pwniodd hi yn ei braich a dechrau llafarganu, "Tros-wr, tros-wr, tros-wr . . ."

Does gen i ddim syniad beth yw ystyr y gair, meddyliodd Cadi, *ond mae'n amlwg nad yw e'n rhywbeth neis iawn . . .*

Wrth i Meurig ddal i'w phoenydio,

teimlai Cadi ei llygaid yn llenwi â dagrau. "Chaiff e mo ngweld i'n crio," meddai'n benderfynol wrthi'i hun, felly trodd ar ei sawdl, codi'i phen yn uchel, a martsio ar draws y buarth gyda Blodwen wrth ei hochr.

Roedd hi wedi gobeithio y byddai un o'r plant eraill yn ei dilyn, ond ddaeth neb. Er nad oedden nhw wedi ymuno â Meurig, doedden nhw ddim wedi ei rwystro, chwaith.

Cerddodd Cadi nes cyrraedd y wal, a sefyll yno'n benisel. "Does neb yn fy hoffi i," meddai'n drist, gan grafu'r ddaear â blaen ei throed.

"*Dwi'n* dy hoffi di," meddai Blodwen, gan rwbio yn erbyn ei choes a chanu grwndi'n uchel. "Ac fe fydd pawb arall yn dy hoffi di hefyd, pan ddôn nhw i dy nabod di. Roedd Melangell Mair yn grac oherwydd mai hi, fel arfer, yw'r orau mewn mathemateg. Ac am Meurig, wel . . . hen fwli mawr yw e."

"Sylwais i," meddai Cadi'n sychlyd. "Gyda llaw, beth yw ystyr y gair 'troswr'?"

"Troswr yw rhywun sy heb gael ei eni a'i fagu ar yr Ynys," atebodd Blodwen. "Rhywun sy wedi dod dros y dŵr – troswr. Ti'n gweld? Troswr ydw innau, cofia – fe ddois i drosodd mewn cwch o'r tir mawr pan o'n i'n ifanc iawn."

"Diolch byth dy fod ti yma," meddai Cadi gan gosi clust y gath. "Fe fyddai heddiw'n annioddefol hebddot ti."

Pan ganodd y gloch ar ddiwedd yr egwyl, dechreuodd y plant ffurfio llinellau ar y buarth. Anelodd Cadi am ben draw'r rhes, gan ofalu cadw'n ddigon pell oddi wrth Meurig. Ar ôl i bawb fynd yn ôl i'r dosbarth, cerddodd Mrs Morgan at y piano ac agor y caead.

"Grêt!" mewiodd Blodwen. "Dwi'n mwynhau canu bron gymaint â stori." A gorweddodd yn fodlon o dan gadair

Cadi, yn barod i wrando'n astud.

Roedd Cadi wrth ei bodd hefyd, gan ei bod yn hoffi cerddoriaeth hyd yn oed yn fwy na mathemateg. Ond gofalodd beidio â chanu'n rhy uchel, rhag i neb ei chyhuddo o ddangos ei hun eto.

Roedden nhw hanner ffordd drwy'r gân gyntaf pan glywodd Cadi lais arall yn ymuno â'r plant. Roedd rhywun neu rywbeth yn canu mewn traw uwch o lawer na phawb arall – yn uwch nag y gallai llais unrhyw berson ei gyrraedd.

PENNOD 3

Edrychodd Cadi o gwmpas y dosbarth. Yn amlwg, doedd neb arall wedi sylwi ar y llais dieithr, a doedd dim golwg o'i berchennog.

Yn sydyn, neidiodd Carys a Cerys Parri ar eu traed. "Llygoden!" sgrechiodd y ddwy'n uchel, gan bwyntio at y bwrdd gwyn.

Ffrwydrodd y dosbarth yn fôr o

weiddi a bloeddio, wrth i bawb chwilio am y llygoden. Cafodd Cadi gipolwg ohoni wrth iddi sgrialu i'r cysgodion. Ond doedd Mrs Morgan ddim wedi troi'n ddigon cyflym, ac erbyn hynny doedd dim golwg o'r llygoden yn unman.

"Twt lol!" ebychodd gan guro'i dwylo i dawelu'r dosbarth. "Dychmygu'r peth rydych chi. Nawr 'te, Carys a Cerys, eisteddwch i lawr a chanolbwyntio ar y gân. Ar ôl tri . . ."

Aeth popeth yn iawn am sbel, a phawb yn canu'n swynol. Ond, yn sydyn, clywodd Cadi'r llais eto. Edrychodd ar y bwrdd gwyn, ond doedd dim golwg o'r canwr dieithr.

"Llygoden!" sgrechiodd Ela Grug yn sydyn, gan bwyntio at un o'r silffoedd.

Wrth i'r dosbarth ffrwydro unwaith yn rhagor, gwelodd Cadi'r llygoden yn sleifio y tu ôl i bentwr o lyfrau. Ac yn ôl y sŵn a'r cynnwrf oedd i'w glywed yn y stafell, nid hi oedd yr unig un oedd wedi'i gweld!

Unwaith eto, roedd Mrs Morgan yn rhy araf. Erbyn iddi edrych ar y silff, doedd dim golwg o'r canwr bach. "Does DIM llygoden yma, blant!" mynnodd. "Dyna ddigon ar y dwli 'ma. Canolbwyntiwch, bawb, neu fe fyddwch i gyd yn aros i mewn dros amser cinio!"

Eisteddodd wrth y piano unwaith eto, a dechrau chwarae.

Doedd Cadi ddim yn gwybod beth i'w wneud. *Os bydda i'n tynnu sylw at y llygoden,* meddyliodd, *y fi gaiff y bai ein bod yn cael ein cadw i mewn, a bydd pawb yn fy nghasáu i'n fwy nag erioed.* Felly, pan welodd symudiad bach ar dop y piano, ddywedodd hi 'run gair – er bod y llygoden wedi sefyll ar ei thraed ôl, a'i phawennau blaen yn symud yn rhythmig i guriad y gân.

Roedd Cadi'n sylweddoli mai hi oedd yr unig un allai glywed y llygoden yn canu'n swynol. Heb y mwclis hud, doedd y plant eraill ddim yn clywed unrhyw beth heblaw rhyw wich neu ddwy.

Yna, bob yn dipyn, gwelodd pawb arall y llygoden – ond oherwydd nad oedden nhw eisiau cael eu cosbi, ddywedodd neb 'run gair. Tawelodd y dosbarth yn raddol wrth i bawb stopio canu.

Pan gododd Mrs Morgan ei phen, beth welodd hi ar ben y piano ond yr ymwelydd bach llwyd. "WAA – llygoden!" sgrechiodd, gan neidio'n rhyfeddol o heini ar ben stôl y piano. Tynnodd ei sgert yn dynn o gwmpas ei phengliniau, a sgrechian eto.

Ffrwydrodd y dosbarth. "Llygoden! Llygoden!" sgrechiodd pawb. Dim ond Cadi oedd yn eistedd yn dawel, gan wylio'r llygoden yn swatio o dan bentwr o gylchgronau.

Yn sydyn, agorwyd y drws yn swnllyd

a martsiodd y Pennaeth i mewn i'r dosbarth. "Beth yn y byd sy'n digwydd fan hyn?" bloeddiodd. Syllodd mewn rhyfeddod ar Mrs Morgan, oedd yn dal i grynu ar ben y stôl. "Pa fath o ymddygiad yw hyn i athrawes?"

holodd yn siarp.

Camodd Mrs Morgan i lawr, heb ollwng ei gafael ar ei sgert. "Mae'n wir flin 'da fi, Mr Prys," llefodd, "ond roedd 'na lygoden ar y piano!"

"Ac ar y silff," ychwanegodd Ela.

"Ac ar y bwrdd gwyn," meddai Carys a Cerys gyda'i gilydd.

"Chlywais i erioed y fath nonsens!" meddai Mr Prys. "Dyw'r peth ddim yn bosib. Dyna pam mae ganddon ni gath yn yr ysgol!"

"Mae'n amlwg, felly, nad yw hi'n gwneud ei gwaith yn iawn," mentrodd Mrs Morgan. "*Mae* 'na lygoden yma, galla i eich sicrhau chi o hynny. Fe welais i hi â'm llygaid fy hun – roedd hi gymaint â hyn!" llefodd, gan ddal ei dwylo i awgrymu creadur o faint llygoden fawr oedd yn cael llond ei bol o fwyd.

Cododd Mr Prys ei aeliau, ond ddwedodd e 'run gair. "Ble mae'r gath nawr?" holodd.

"Draw fanna," atebodd Anwen, gan bwyntio at gadair Cadi.

"Wps!" mewiodd Blodwen, gan sylweddoli bod pawb yn syllu arni. "Mae'n bryd i mi ddiflannu, dwi'n credu." Dechreuodd ruthro at y drws, ond roedd Mr Prys yn rhy gyflym iddi. Daliodd hi, a'i chario'n ddiseremoni'n ôl i mewn i'r stafell.

Gan ddal y gath wen o dan ei gesail, martsiodd y Pennaeth draw at y piano. Bu'n chwilio a chwalu drwy'r annibendod am sbel, heb ddod o hyd i unrhyw beth. Yna gwthiodd bentwr o gylchgronau o'r ffordd . . . a dyna lle roedd y llygoden fach lwyd yn syllu'n ofnus arno.

Sgrechiodd pawb, a rhuthro mlaen i gael gweld yn well. Ddywedodd Mrs Morgan 'run gair o gerydd – roedd hi'n rhy brysur yn neidio'n ôl ar ben

y stôl. Mr Prys oedd yr unig un i beidio â chynhyrfu. Gollyngodd

Blodwen ar ben y piano. "Dalia'r llygoden 'na!" gorchmynnodd.

Wnaeth y llygoden ddim gwastraffu eiliad cyn diflannu i lawr cefn y piano. Ac er mawr syndod i Cadi, safodd Blodwen yn ei hunfan heb wneud unrhyw ymdrech i'w dal.

"Am gath dwp!" rhuodd Mr Prys. Gan duchan yn uchel, gwthiodd y piano i ffwrdd o'r wal cyn gollwng Blodwen i mewn i'r bwlch. "Dalia hi!" gorchmynnodd eto.

Gwthiodd Cadi ei ffordd rhwng Delyth a Melangell Mair, er mwyn gallu gweld yn well. Cyrhaeddodd flaen y dosbarth jest fel roedd Blodwen yn bagio allan wysg ei chefn o'r bwlch – heb y llygoden.

"Wedi methu eto!" ebychodd Mr Prys.

"Rwyt ti wir yn gath gwbl anobeithiol!"

Yn benisel a thrist, ceisiodd Blodwen guddio y tu ôl i Cadi. "Nid ar y gath mae'r bai, syr," protestiodd Cadi, gan bwyntio at y twll llygoden yn y sgyrtin y tu ôl i'r piano. "Rhaid bod y llygoden wedi dianc i mewn i'r twll cyn i Blodwen gael cyfle i'w dal."

Ond doedd Mr Prys ddim mewn hwyliau i wrando ar unrhyw esgusodion. "Petai'r gath yn gwneud ei gwaith yn iawn," mynnodd, "fyddai 'na 'run llygoden ar gyfyl yr ysgol 'ma. Os yw'r gath mor anobeithiol â hyn, bydd raid iddi hi fynd!"

Syllodd Cadi arno mewn arswyd. Colli'i hunig ffrind yn yr ysgol? Na, byth bythoedd! Ac eto . . . doedd hi ddim yn deall pam nad oedd Blodwen wedi rhedeg ar ôl y llygoden. Beth oedd yn bod, tybed? Oedd ’na unrhyw beth y gallai hi ei wneud i helpu?

PENNOD 4

Am weddill y bore, roedd Cadi'n methu'n lân â chanolbwyntio am ei bod hi'n rhy brysur yn meddwl am y llygoden. Dyna roedd hi'n ei wneud pan ganodd y gloch amser cinio.

"Mae pawb yn bwyta'u brechdanau yn y neuadd," meddai Blodwen wrth i weddill y dosbarth ruthro allan o'r stafell. "Fe fydda i yno i gadw cwmni i ti."

Ond roedd gan Mrs Morgan syniadau eraill. Aeth at Blodwen a gafael yn ddiseremoni ynddi. "Rhaid i'r gath fynd mas," meddai. "Chaiff hi ddim mynd yn agos at y bwyd."

Suddodd calon Cadi, a theimlai'n unig iawn wrth gerdded i'r neuadd. Dim ond un gadair wag oedd ar ôl, ac roedd honno gyferbyn â Melangell Mair, o bawb.

"Mae'n flin gen i am dy ypsetio di gynne," meddai Cadi wrth eistedd i lawr.

"A finne," atebodd Melangell yn swta cyn dechrau siarad gydag Anwen a Delyth fel petai Cadi ddim yno.

Ceisiodd Cadi fwyta'i chinio – brechdanau tomato ac wy, a darn o gacen flasus Bopa Gwen – heb ddangos i neb bod dagrau yn ei llygaid. *Fe fydda i'n teimlo'n unig bob dydd os byddan nhw'n cael gwared o Blodwen,* meddyliodd. *Sut yn y byd y galla i newid meddwl Mr Prys?*

Ar ôl i bawb orffen bwyta, dilynodd Cadi y plant eraill i'r cae chwarae. Cododd ei chalon wrth weld Blodwen yn aros amdani mewn cornel ddistaw, lle gallen nhw siarad heb i neb eu clywed.

"Dwi ddim eisie i Mr Prys fy anfon i ffwrdd!" mewiodd yn dorcalonnus.

"Pam na wnei di ddal y llygoden, 'te?" holodd Cadi. "Fe gei di aros wedyn."

"Fedra i ddim," llefodd Blodwen. "Does gen i ddim syniad ble i ddechrau . . ."

"Dwi'n siŵr y bydd y criw yn gallu dy

helpu," meddai Cadi, gan geisio codi calon Blodwen. Grŵp o anifeiliaid oedd yn gofalu am Ynys y Cregyn oedd y 'criw', a Cadi oedd yr unig aelod oedd yn blentyn. "Ar ôl mynd adre," ychwanegodd, "fe ofynnaf i Mostyn drefnu cyfarfod."

Roedd yr haul yn machlud pan redodd Cadi a Mostyn drwy'r ardd y tu ôl i Caffi Cynnes at y llwyni yn y pen pellaf. Gwthiodd Cadi rhwng y canghennau trwchus nes cyrraedd y llannerch yn y canol lle roedd cuddfan bron-yn-gyfrinachol y criw.

Roedd bron pawb yno'n aros amdanyn nhw, er bod Penri – fel bob amser – wedi aros adref o flaen y teledu. Eisteddai Siani, y gath Siamîs o

swyddfa'r post, ar y gwair yn llyfu'i chynffon. Wrth ei hochr gorweddai Bynsen, y gath ddu dew o'r siop fara, a Hadog, cath frech oedd yn byw gyda hen ŵr yn y pentref.

Blodwen oedd yr olaf i gyrraedd. Cerddodd yn benisel at y lleill, a golwg ddiflas iawn ar ei hwyneb. "Mae pethe wedi gwaethygu," cwynodd wrth Cadi. "Mae Mr Prys wedi penderfynu mod i'n cael gormod o fwyd – dyna pam dwi ddim yn hela. Dyw e ddim yn bwriadu fy mwydo i nes bydda i wedi dal y llygoden!"

"Dim bwyd?" ebychodd Bynsen mewn arswyd. "Mae hynna'n ofnadwy! Bydd raid i ti hela, felly."

"Ond dwi ddim yn gwybod sut i hela!" llefodd Blodwen.

"*Cath* wyt ti," meddai Hadog. "Mae pob cath yn gwybod sut i hela! Wnaeth dy fam erioed roi gwersi i ti?"

"Naddo. Fe ddysgodd hi fi sut i rwbio

yn erbyn coesau pobl, a chanu grwndi," atebodd Blodwen. "Tan nawr, mae hynna wedi bod yn ddigon!"

"Beth amdanoch chi?" gofynnodd Cadi wrth weddill y criw. "Fyddai un ohonoch chi'n gallu rhoi gwersi hela i Blodwen?"

"Paid ag edrych arna i," meddai Mostyn. "Dyw cŵn ddim yn dal llygod!"

"Wel, wrth gwrs, rydw i'n dipyn o arbenigwr," broliodd Hadog. "Nawr 'te, Bynsen – dwi am i ti esgus bod yn llygoden."

"Pam taw *fi* sy wastad yn gorfod gwneud y pethe ych a fi?" ochneidiodd Bynsen. "O wel . . . galla i roi cynnig arni, sbo." Eisteddodd yng nghanol y llannerch a gwichian wrth geisio dynwared llygoden (a methu'n druenus!).

"Nawr 'te," sibrydodd Hadog wrth Blodwen. "Rhaid i ti gripian y tu ôl iddi . . . na, nid fel'na, fe fydd hi'n dy glywed di'n dod! Camau tylwyth teg, plis!"

"A phaid ag anadlu mor swnllyd," rhybuddiodd Siani.

Chwarae teg i Blodwen, roedd hi'n gwneud ei gorau glas. Symudai heb na siw na miw, a phrin ei bod hi'n anadlu o gwbl. O'r diwedd, cyrhaeddodd o fewn ychydig gentimetrau i'r gath ddu, wichlyd.

"Plyga i lawr," gorchmynnodd Hadog. "Yn is . . . ie, 'na fe. Nawr symuda dy ben-ôl o ochr i ochr i gadw dy gydbwysedd."

"Pam?" holodd Blodwen.

"Er mwyn i ti allu neidio ar ei chefn a'i chnoi'n galed yn ei gwddw."

Stopiodd y gwichian ar unwaith. "Soniaist ti ddim byd am gnoi," cwynodd Bynsen.

"Falle y gallai Blodwen dy gnoi di'n ysgafn," awgrymodd Cadi.

"Neu falle ddim," meddai Bynsen. "A dwi ddim yn bwriadu aros i weld, chwaith. Hwyl!"

"Reit, rhaid i *ti* chwarae rhan y llygoden, felly," meddai Hadog wrth Siani.

"Dim gobaith!" mynnodd Siani. "Beth am i chi esgus taw llygoden yw'r blodyn dant y llew acw?"

"Fe wnaiff y tro, sbo," meddai Hadog yn anfodlon. "Reit, Blodwen – neidia ar y 'llygoden' acw a suddo dy ddannedd i mewn iddi."

"O na!" llefodd Blodwen. "Dyw hynna ddim yn beth neis iawn!"

"Nac ydy, dyw e ddim," gwaeddodd Hadog. "Ond *cath* wyt ti. Dyw cathod ddim i fod i ymddwyn yn neis wrth lygoden. Rwyt ti i fod i'w LLADD hi!"

"Alla i byth ladd y llygoden druan," sibrydodd Blodwen yn benisel. "Mae hi'n hoffi cerddoriaeth."

"Ac mae ganddi hi lais swynol iawn," ychwanegodd Cadi, oedd yn teimlo 'run fath yn union â Blodwen.

Gorweddodd Hadog ar y glaswellt a gorffwys ei phen ar ei phawennau. "Dwi'n fethiant," ochneidiodd. "Siani – wnei di roi cynnig ar ddysgu Blodwen?"

Safodd y gath Siamîs yng nghanol y llannerch, ei phen yn uchel a'i chynffon yn yr awyr. "Nawr 'te, Blodwen," meddai mewn llais awdurdodol. "Gwranda'n ofalus. Cath wyt ti. Mae cathod yn dal llygod. Dyna pam mae ganddon ni ddannedd ac ewinedd miniog."

"Sdim ots 'da fi," meddai Blodwen yn ddagreuol. "Dwi'n casáu meddwl am orfod gadael yr ysgol. Ond byddai'n well gen i fyw mewn Cartref i Gathod Amddifad na chodi pawen at lygoden fach mor gerddorol."

Yn ddistaw bach, teimlai Cadi'n falch

iawn o Blodwen. Roedd hi'n fodlon aberthu ei bywyd hapus ei hun er mwyn achub y llygoden. Trueni na allai hi feddwl am ryw ffordd o'i helpu . . .

Fel fflach, cafodd syniad. "Dere, Mostyn," meddai, gan sefyll ar ei thraed a chodi'i llaw ar weddill y criw. "Rhaid i ni gael gair gyda'r llygoden 'na."

Rhedodd Cadi drwy'r ardd, a Mostyn yn dynn wrth ei sodlau. Safodd am eiliad o flaen ffenest y gegin a gweiddi, "Dwi'n mynd â Mostyn am dro, iawn?"

Bopa Gwen oedd yno, yn troi rhywbeth mewn sosban ar y stôf. "Paid â bod yn hir, bach," meddai. "Mae swper bron yn barod."

"Iawn!" atebodd Cadi. Rhedodd

Mostyn a hithau i lawr y stryd, ac ar hyd y lôn fach tuag at yr ysgol. Doedd dim golwg o neb yn unman, ac roedd y giât wedi'i chau'n sownd.

"Beth wnawn ni nawr?" holodd Mostyn. "Fe fydd 'na helynt mawr os cei di dy ddal ar dir yr ysgol heb ganiatâd."

"Hmm . . ." meddai Cadi'n feddylgar. "Os na fedrwn ni fynd i mewn at y llygoden, bydd raid ei pherswadio hi i ddod mas aton ni."

Cerddodd gan ddilyn y wal o gwmpas yr ysgol nes dod cyn agosed ag y gallai at ei stafell ddosbarth. Safodd yn ei hunfan, a dechrau canu'r gân roedden nhw wedi bod yn ei chanu'n gynharach.

Gwnaeth Mostyn ei orau glas i ganu

gyda hi, ond roedd e'n udo allan o diwn yn llwyr. "Shh!" meddai Cadi wrtho. "Gad hyn i mi."

Syllodd Mostyn yn siomedig arni. "Dim ond trio helpu o'n i," meddai'n drist.

"Dwi'n gwybod," meddai Cadi, a'i

gosi o dan ei ên. "Tybed allet ti edrych allan am y llygoden? Mae dy lygaid di'n fwy siarp o lawer na'm rhai i."

Cododd y ci bach ei galon ar unwaith. Safodd yn bwysig a syllu ar y wal wrth i Cadi ddechrau canu unwaith eto. Ddigwyddodd dim byd yn ystod y pennill cyntaf, na'r ail, ac roedd Mostyn yn dechrau aflonyddu. "Ydy hyn yn mynd i weithio?" gofynnodd.

"Gobeithio'n wir," atebodd Cadi gan dynnu anadl ddofn a dechrau ar y trydydd pennill. Ac yn wir i chi, ar ôl dim ond nodyn neu ddau, clywodd Cadi lais main, cyfarwydd yn ymuno â hi. Daliodd ymlaen i ganu, gan ddal i edrych o gwmpas am y llygoden.

Mostyn oedd y cyntaf i'w gweld hi. "Draw fan'na," sibrydodd, gan nodio'i ben i gyfeiriad y wal, rhyw fetr i ffwrdd.

Cododd Cadi ei llaw ar y llygoden. “Mae gen ti lais swynol iawn,” meddai wrthi.

“O, diolch i ti am ddweud hynna,” atebodd y llygoden. “Mae pobl fel arfer yn meddwl mod i’n gwneud dim byd ond gwichian.”

“Dwi’n wahanol i bawb arall,” meddai Cadi. “Mae fy hen-fodryb wedi rhoi’r mwclis hud yma i mi, felly dwi’n deall pob gair rwyt ti’n ei ddweud.”

“Waw, dyna wych!” ebychodd y llygoden gan symud yn fân ac yn fuan i gael golwg ar y mwclis. “Mae’r hen chwedl yn wir, felly – *mae* ’na y fath beth yn bod â mwclis hud ar siâp pawennau. Ro’n i’n meddwl mai rhyw lygoden ers talwm oedd wedi dychmygu'r cyfan."

"Ydy, mae'r chwedl yn wir," cytunodd

Cadi. "Ond oherwydd y mwclis yma rwyt ti wedi creu clamp o broblem i Blodwen, cath yr ysgol."

"Fe gaiff Blodwen druan ei thaflu mas o'r ysgol os na wnaiff hi dy ddal

di," esboniodd Mostyn.

"Gobeithio nad y'ch chi'n disgwyl i mi helpu!" ebychodd y llygoden.

"Wel, ydyn, mewn ffordd," cyfaddefodd Cadi.

"Mae hynny'n amhosib!" llefodd y llygoden. 'Mae cathod yn lladd llygod. Os gadawaf i Blodwen fy nal, dyna fydd fy niwedd i – Lleucu, Llygoden y Llais."

"Dwi'n sylweddoli hynny," meddai Cadi. "Ond beth am i ti symud i fyw i rywle arall ar yr Ynys? Mae 'na ddigonedd o lefydd braf y gallet ti fynd – ac fe a' i â ti i unrhyw le, jest dwed y gair."

"Ond dwi ddim eisie symud," mynnodd Lleucu. "Dwi wrth fy modd yn yr ysgol. Fan hyn, dwi'n cael gwrando ar straeon ac ymuno yn y canu. Mae e'n lle llawer gwell i fyw nag ar fferm, fel gweddill fy nheulu a'm ffrindie."

"Dwyt ti ddim yn teimlo'n unig fan hyn?" holodd Cadi. "Ar y fferm, byddai gen ti ddigonedd o ffrindiau i chwarae gyda nhw."

"Na," meddai Lleucu'n benderfynol. "Dwi'n fwy diogel yn yr ysgol. Hen rai cas a chreulon ydy cathod y fferm – ond does gan gath yr ysgol ddim syniad sut i ddal llygoden!"

Yn sydyn, clywodd Cadi ochenaid uchel y tu ôl iddi. Heb i neb sylwi, roedd Blodwen wedi cripian tuag atyn nhw'n ddistaw bach. "Waa!" sgrechiodd Lleucu, a rhuthro ymhellach ar hyd y wal.

Ond symudodd y gath wen ddim. Eisteddodd wrth ochr Cadi, ei phen yn isel a'i chlustiau'n fflat. "Mae hyd yn oed y llygoden yn credu mod i'n anobeithiol," ochneidiodd.

"Doedd hi ddim ond yn dweud y gwir," meddai Mostyn.

Nodiodd Lleucu. "Mae'n flin gen i, Blodwen. Do'n i ddim yn trio brifo dy deimladau di," meddai.

"Mae'n amlwg mod i'n haeddu cael fy nghosbi," sibrydodd Blodwen. "Man a man i mi baratoi i fynd i'r Cartref Cathod."

"Na," mynnodd Cadi. "Ddylai neb gael ei gosbi am fod yn garedig." Cododd Blodwen yn ei breichiau a rhoi clamp o gwtsh iddi. "Paid â phoeni. Fe fyddwn ni'n siŵr o feddwl am rywbeth . . ."

Er bod Cadi'n ceisio swnio'n hyderus, mewn gwirionedd roedd hi'n poeni'n arw. Roedd y criw wedi methu helpu Blodwen, ac roedd ei syniad hithau hefyd wedi cwympo'n fflat. Rhaid i mi feddwl am ryw ffordd arall o'i helpu, meddyliodd, a hynny heb wastraffu eiliad!

Roedd Cadi mor drist wrth feddwl am Blodwen druan fel na allai hi ddweud 'run gair wrth fwyta'i swper.

"Beth sy'n dy boeni di, pwt?" holodd Dad wrth fwyta'i bwdin. "Oes 'na rywbeth wedi dy ypsetio di yn yr ysgol?"

"Na, dim mewn gwirionedd," atebodd Cadi. "Jest dipyn o drafferth gyda rhyw lygoden, dyna'r cyfan."

"Llygoden yn yr ysgol?" ebychodd Mam. "Ych a fi! Falle dylen ni gwyno wrth y Pennaeth."

"Na, na, peidiwch wir!" llefodd Cadi, gan wybod y byddai hynny'n gwneud pethau'n waeth fyth.

"Mae Cadi'n iawn," meddai Bopa Gwen, oedd wedi sylwi ar ymateb Cadi. "Does dim angen. Mae Mr Prys yn dda iawn am ddelio â phob math o broblemau. Ac wrth gwrs, mae 'na gath yn yr ysgol hefyd . . ."

"Oes, ar hyn o bryd," sibrydodd Cadi mewn llais mor dawel fel na allai neb ond Bopa Gwen ei chlywed.

Winciodd Bopa Gwen arni, i ddangos ei bod yn deall. "Dwi'n credu bod angen codi calon Cadi," meddai. "Beth am i ni i gyd fynd i weld ffilm?"

"Syniad da," atebodd Dad.

"Ond does 'na ddim sinema ar yr Ynys," meddai Mam.

"Oes – am heno, o leia," esboniodd Bopa Gwen. "Maen nhw'n dangos *Mary Poppins* yn Neuadd yr Ynys."

Roedd Cadi wedi gweld y ffilm sawl tro o'r blaen, ond soniodd hi ddim wrth Bopa Gwen. Beth bynnag, byddai'n dda cael mynd i rywle gwahanol. Er ei bod wedi cerdded heibio'r Neuadd sawl gwaith, doedd hi erioed wedi mentro i mewn.

Roedd yr adeilad mawr carreg ar waelod y rhiw, yn ymyl y cei. Heno, roedd ei ddrysau derw – oedd yn wynebu'r môr – yn llydan agored i groesawu pawb.

Camodd Cadi a'r teulu i mewn i'r

cyntedd, lle'r oedd dyn yn eistedd y tu ôl i fwrdd bach yn gwerthu tocynnau.

"Tri oedolyn ac un plentyn, os gwelwch chi'n dda, Dai," meddai Bopa Gwen gan estyn ei phwrs.

"Atishŵ! Braf eich gweld chi, Gwen,"

meddai'r dyn. "A hon yw'r or-nith y sonioch chi amdani, ife?"

"Ie, dyma Cadi," atebodd Bopa Gwen yn falch.

"Atishŵ! Atishŵ! Mae'n wir ddrwg gen i . . . rwyt ti wedi bod yn chwarae gyda chathod yn ddiweddar, on'd wyt ti?" meddai Dai wrth Cadi, gan chwerthin.

"Ydw, ond sut gwyddoch chi hynny?" holodd Cadi, gan syllu arno mewn rhyfeddod.

"Mae gen i alergedd gwael iawn at gathod," atebodd Dai, "ac mae blewyn neu ddau ar ddillad rhywun yn ddigon i wneud i mi disian! Trueni hefyd . . . byddwn wrth fy modd yn cael cath i gadw cwmni i mi, ond mae'r peth yn amhosib."

Rhoddodd y tocynnau yn llaw Bopa Gwen, ac arwain y ffordd i mewn i'r brif neuadd. Doedd Cadi erioed wedi bod yn y fath le o'r blaen, gyda'i waliau carreg a'i do uchel yn cael ei gadw yn ei le gan drawstiau anferth. Safai rhesi o gadeiriau pren yn un pen, yn wynebu'r llwyfan, ac roedd sgrin fawr wen yn hongian o'r nenfwd.

Roedd y neuadd bron yn llawn, ond llwyddodd y pedwar i ddod o hyd i seddi cyn i Dai ddiffodd y goleuadau. Tawelodd y gynulleidfa wrth i bawb edrych mlaen at weld y ffilm.

Roedd y caneuon mor gyfarwydd i Cadi fel bod yn rhaid iddi orfodi'i hun i beidio â chanu'n uchel. Yn sydyn, meddyliodd am Lleucu'r Llygoden, a dechreuodd syniad ffurfio yn ei meddwl . . .

Ar y ffordd adref, gofynnodd Cadi i Bopa Gwen, "Ydyn nhw'n dangos ffilmiau yn y Neuadd bob nos?"

"Nac ydyn," atebodd, "ond mae 'na wastad rywbeth yn digwydd yno – drama, cyngerdd ac ati – neu mae'r côr yn ymarfer."

"Dwi'n ystyried ymuno â'r côr," meddai Mam. "Roedd 'na arwydd yn y cyntedd yn dweud eu bod nhw'n ymarfer bob nos Fercher."

Hmm . . . meddyliodd Cadi. *Cerddoriaeth a straeon – a dim cathod ar gyfyl y lle. Byddai'r Neuadd yn gartre delfrydol ar gyfer llygoden gerddorol . . . ond tybed a fyddai Lleucu'n fodlon symud?*

*

Roedd Cadi ar bigau'r drain wrth gerdded i'r ysgol y bore wedyn, yn meddwl tybed sut y byddai Lleucu'n ymateb i'w syniad. Ond pan gyrhaeddodd y drws, beth oedd yno ond basged blastig las, gyda dolen ar y top a bariau metel ar y blaen.

"Basged i gario cathod yw hi," meddai Blodwen, a'i llais yn crynu. 'Maen nhw wedi rhoi tan ddiwedd y pnawn i mi ddal y llygoden. Fel arall, bydd Mr Prys yn fy rhoi ar y cwch pump o'r gloch i fynd i'r Cartref Cathod."

"O na!" llefodd Cadi, gan gosi Blodwen y tu ôl i'w chlust. "Paid â phoeni – wna i ddim gadael i hynny ddigwydd. Dwi wedi cael syniad gwerth chweil . . ."

Gwrandawodd Blodwen yn ofalus wrth i Cadi sôn wrthi am y Neuadd, ac am ei chynllun i symud Lleucu. Yna, i ffwrdd â'r ddwy i chwilio am y llygoden.

Ond doedd dim golwg ohoni yn unman cyn i'r gwersi gychwyn, nac yn ystod amser chwarae chwaith. "Falle ei bod hi wedi penderfynu symud i ffwrdd," awgrymodd Cadi.

Roedd Mrs Morgan yn cytuno. "Dwi'n siŵr nad ydy'r llygoden yma," meddai. "Efallai bod y gath wedi'i dal hi erbyn hyn."

"Na, dwi ddim yn credu," meddai Mr Prys. "Does dim golwg o lygoden farw yn unman – dim hyd yn oed cynffon! Aha! Dyma hi'r gath!" bloeddiodd wrth weld Blodwen yn cuddio o dan gadair

Cadi. Camodd tuag ati a'i thynnu'n ddiseremoni allan o'i chuddfan. "Hwn yw dy rybudd olaf di, reit? Naill ai dwi'n gweld corff y llygoden 'na cyn diwedd y dydd, neu fe fyddi di ar dy ffordd i'r Cartref Cathod. Wyt ti'n deall?"

Llyncodd Cadi'n galed. Fyddai symud Lleucu i'r Neuadd ddim yn ateb y broblem, felly. Ar y llaw arall, doedd hi na Blodwen ddim eisiau gweld y llygoden druan yn cael ei lladd. Roedd amser yn brin, a dyfodol y gath wen yn ansicr iawn . . .

PENNOD 7

"Does dim pwynt i ni wastraffu'r egwyl amser cinio'n chwilio am Lleucu," meddai Cadi wrth Blodwen. "Mae hi'n amlwg wedi diflannu."

Ond, yn sydyn, wrth iddyn nhw gerdded o gwmpas y cae chwarae, clywsant lais bach yn canu, "Tra la la la!" A dyna lle roedd y llygoden yn cuddio y tu ôl i'r bin ailgylchu, yn ceisio

ymestyn ei hun i edrych yn dalach.

"'Drychwch arna i!" gwichiodd eto wrth weld Cadi a Blodwen yn edrych arni. "Rydw i'n GAWR!"

"Nagwyt ddim!" wfftiodd Blodwen. "Llygoden wyt ti!"

"Llygoden yn esgus bod yn gawr, a bod yn fanwl gywir," atebodd Lleucu. "Dwi'n actio'r stori glywais i bore 'ma gyda phlant y dosbarth meithrin."

"Dyna lle roeddet ti!" meddai Cadi. "Rydyn ni wedi bod yn chwilio amdanat ti ym mhobman."

"Pam?" holodd Lleucu, a'i whisgers yn crynu mewn ofn.

"Oherwydd mod i wedi cael gorchymyn i dy ladd di," atebodd Blodwen. "Ond paid â phoeni – dwi ddim yn bwriadu gwneud." Rholiodd ar ei chefn, a chwifio'i phawennau yn yr awyr i ddangos nad oedd hi'n bwriadu gwneud unrhyw niwed.

Symudodd Lleucu'n nes. "Felly pam ry'ch chi'n chwilio amdana i?" holodd.

"I ofyn i ti godi dy bac a symud i rywle arall," atebodd Cadi.

"Ond dwi ddim yn bwriadu symud – dwi wedi gwneud hynny'n berffaith glir yn barod."

"Wel, falle y byddi di'n fodlon newid dy feddwl pan glywi di am fy syniad i. Dwi wedi dod o hyd i le grêt i ti fyw – Neuadd yr Ynys. Mae 'na fwy o lawer yn digwydd yno nag yn yr ysgol – ffilmiau, cyngherddau, dramâu . . ."

"Dramâu?" gwichiodd Lleucu gan neidio lan a lawr yn gyffrous. "Actio go iawn yw hynny, nid esgus! Tybed

fyddai ganddyn nhw ran ar gyfer llygoden yn un o'u dramâu?"

"Na," meddai Cadi'n bendant. "Byddai'n well i ti gadw allan o'r golwg."

"Hyd yn oed os byddi di'n fodlon symud," ochneidiodd Blodwen, "fydd gen i ddim dewis ond mynd i'r Cartref Cathod."

"Pam?" holodd Lleucu. "Fe fyddi di wedi cael gwared ohona i, felly beth yw'r broblem?"

"Y broblem, fy ffrind, yw bod Mr Prys yn mynnu gweld dy gorff marw di – neu bydd e'n fy rhoi ar y cwch nesa i'r tir mawr." Ac ochneidiodd yn drwm eto.

Yn sydyn, gwenodd Cadi a gofyn, "Pa mor dda wyt ti am actio, Lleucu?"

"Gwych! Bendigedig! Rhagorol!" cyhoeddodd y llygoden.

"Ond ddim yn wylaidd!" sibrydodd Blodwen.

"Nawr 'te, Lleucu," meddai Cadi. "Dwi wedi meddwl am gynllun allai achub dy fywyd di, ond mae'r cyfan yn dibynnu ar dy allu di i actio. Fyddet ti'n gallu actio rhan llygoden farw?"

"AAAHHH!" llefodd Lleucu ar dop ei llais bach gwichlyd. Gafaelodd yn ei gwddw ag un pawen, a gwegian yn druenus. Yna griddfanodd yn uchel, cyn cwympo'n fflat ar ei bola gyda'i phedair coes ar led. Gorweddodd yn gwbl lonydd, a'i llygaid ar gau.

"Ydy hi'n iawn, ti'n meddwl?" sibrydodd Blodwen ymhen sbel.

"Gobeithio'i bod hi," meddai Cadi.

Yn sydyn, agorodd Lleucu ei llygaid a wincio. "Wel, beth y'ch chi'n feddwl o ngallu i fel actor?" holodd.

"Gwych!" ebychodd Blodwen.

"Ond braidd yn or-ddramatig, falle," awgrymodd Cadi. "Dy'n ni ddim angen *cweit* gymaint â hynna o deimlad. Yr unig beth sydd raid i ti wneud yw esgus bod yn farw yn ddigon hir i dwyllo Mr Prys."

"Dim problem," meddai Lleucu. Cwympodd ar y llawr, ei llygaid ar gau, a gorwedd yno heb symud 'run gewyn.

"Da iawn," meddai Cadi, "ond rhaid i mi roi un prawf arall arnat ti. Blodwen – dwi am i ti godi Lleucu yn dy geg."

Agorodd Lleucu ei llygaid yn llydan mewn braw. "Gwylia'r hen ddannedd miniog 'na," meddai, gan edrych i mewn i geg Blodwen.

"Paid â phoeni, wnei di ddim teimlo unrhyw beth. Nawr, dwi am i ti farw eto," mynnodd Blodwen.

"A phaid â gwneud smic o sŵn!" rhybuddiodd Cadi.

Caeodd Lleucu ei llygaid eto, a gorwedd yn gwbl lonydd wrth i'r gath ei chodi. Gorweddodd yn llipa yng ngheg Blodwen, heb wichian o gwbl, hyd yn oed wrth iddi gael ei gollwng wrth draed Cadi.

"Hwrê!" gwaeddodd Cadi. "Rwyt ti'n actores wych!" Ond camgymeriad oedd dweud hynny, oherwydd neidiodd Lleucu ar ei thraed, sefyll ar ei choesau

ôl ac ymgrymu sawl gwaith.

"Paid ti â meiddio gwneud hynna o flaen Mr Prys," rhybuddiodd Cadi. "Rhaid i ti actio'n farw nes bod pawb wedi mynd."

Yr eiliad honno, canodd y gloch ar ddiwedd amser cinio. "Reit," meddai Cadi. "Dim rhagor o ymarfer. Y tro

nesa y bydda i'n eich gweld chi'ch dwy, rhaid i chi roi perfformiad gorau'ch bywyd."

"Dere â Lleucu i'r Adran Iau," ychwanegodd wrth Blodwen. "Bydd Mr Prys yn siŵr o ruthro draw yno wrth glywed Mrs Morgan yn sgrechian. Rhaid i mi fynd nawr. Pob lwc, bawb!"

Teimlai Cadi'n unig wrth fynd i'w dosbarth heb Blodwen wrth ei sodlau. Buan iawn y sylwodd y plant eraill nad oedd y gath gyda hi.

"Ble mae dy ffrind bach blewog di?" holodd Meurig Morris yn wawdlyd. "Yn cuddio, sbo, rhag iddi gael ei hanfon bant o'r Ynys!"

"Gobeithio, wir," meddai Anwen. "Dwi ddim eisie'i gweld hi'n gorfod mynd i'r Cartref Cathod."

Chwarddodd Meurig yn gas. "Hy!" ebychodd. "Does ganddi hi ddim siawns o gael aros. Mae hi'n anobeithiol!"

Tawodd pawb yn sydyn wrth i Mrs Morgan gerdded i mewn i'r stafell a chau'r drws ar ei hôl. "Nawr 'te, blant," meddai, "ry'n ni'n mynd i ddysgu tipyn am hanes yr Ynys heddiw."

Fel arfer, byddai Cadi wedi edrych mlaen at y wers; heddiw, fodd bynnag, roedd hi ar bigau'r drain yn aros i Blodwen gyrraedd ac yn methu'n lân â chanolbwyntio.

Tic . . . toc . . . Teimlai Cadi fod bysedd y cloc yn symud yn ofnadwy o araf, a doedd dim golwg o'r gath. *Os na fyddan nhw'n cyrraedd yn fuan, fe fydd hi ar ben ar Blodwen!* meddyliodd

Cadi, gan wingo'n aflonydd yn ei chadair.

Ar gyfer rhan ola'r wers, gofynnodd Mrs Morgan i Meurig a Melangell Mair sefyll o flaen y dosbarth. "Mae gen i wisgoedd arbennig ar eich cyfer chi," meddai wrth y ddau, "er mwyn i bawb weld sut byddai pobl yr Ynys wedi edrych dri chan mlynedd yn ôl."

Helpodd y ddau i wisgo'r dillad, ac roedd Meurig wrth ei fodd yn cael bod yn ganolbwynt y sylw. Chwifiodd ei gleddyf plastig o gwmpas, gan esgus lladd draig ffyrnig.

Roedd gweddill y dosbarth mor brysur yn gwylio Meurig fel mai Cadi oedd yr unig un i glywed sŵn tapio ysgafn ar y ffenest yn ymyl ei desg. Trodd, a dyna lle roedd Blodwen yn

sefyll yn sigledig ar sil y ffenest – ond doedd dim golwg o Lleucu. Pwysodd Blodwen ei cheg ar y gwydr a dweud, "Dwi'n methu dod i mewn i'r stafell!"

Edrychodd Cadi o'i chwmpas a gweld bod y drws a'r holl ffenestri ar gau.

Rhaid i mi wneud rhywbeth ar unwaith, meddyliodd, *neu dyna ddiwedd ar y cynllun* . . . Cododd glicied y ffenest a'i gwthio ar agor.

"Help!" sgrechiodd Blodwen wrth i'r ffenest ei bwrw'n galed. Ceisiodd fachu'r sil â'i chrafangau, ond methu. Gyda "meeew!" druenus, diflannodd y gath wen o'r golwg.

Neidiodd Cadi ar ei thraed mewn braw, a gwthio'i phen drwy'r ffenest. "Diolch byth!" sibrydodd, wrth weld nad oedd Blodwen wedi cael dolur wrth gwympo. Roedd Lleucu yno hefyd, yn sefyll yn ymyl y gath.

Yn sydyn, cafodd Cadi sioc wrth glywed llais y tu ôl iddi. "A beth yn union wyt ti'n wneud, Cadi Wyn?" Mrs Morgan oedd yno, yn edrych yn gas arni hi.

"Ym . . . dim byd," atebodd Cadi'n gelwyddog. "Eisie tipyn o awyr iach o'n i – mae hi'n dwym iawn yn y stafell 'ma."

"Caea'r ffenest 'na ar unwaith," gorchmynnodd Mrs Morgan, a doedd gan Cadi ddim dewis ond ufuddhau.

Wrth estyn am y ddolen, edrychodd i lawr ar Blodwen a sibrwd, "Dyma dy gyfle di!"

Doedd Cadi erioed wedi gweld Blodwen yn symud mor gyflym! Gafaelodd yn Lleucu a neidio drwy'r ffenest eiliad yn unig cyn iddi gau. Glaniodd wrth draed Cadi, a'r llygoden yn hongian yn llipa o'i cheg. Chwarae teg i Lleucu, roedd hi'n actio'n wych – edrychai'n gwbl farw.

Sgrechiodd Mrs Morgan wrth i

Blodwen redeg tuag ati, cyn rhuthro am ddiogelwch ei desg. Roedd Meurig a Melangell yno eisoes, yn dal i wisgo'u dillad henffasiwn.

Ymunodd Melangell a sawl un arall o'r merched yn y sgrechian, ond dechreuodd rhai o'r plant guro dwylo, a llafarganu'n uchel, "Blod-wen, Blod-wen, Blod-wen . . ."

Yn union fel roedd Cadi wedi'i obeithio, roedd Mr Prys wedi clywed y gweiddi a rhuthrodd i mewn i'r stafell. "DISTAWRWYDD!" gwaeddodd ar dop ei lais.

Yn y tawelwch a ddilynodd, martsiodd Blodwen at y Pennaeth ac, yn ofalus iawn, gosododd Lleucu i orwedd ar y llawr o'i flaen.

Prin y gallai Cadi ddioddef edrych

wrth i Mr Prys wthio'r corff bach brown, llipa â blaen ei droed. Faint yn hirach allai Lleucu druan ddioddef, tybed?

Ond doedd dim angen iddi boeni. Profodd Lleucu ei bod hi'n actores benigamp, a symudodd hi 'run gewyn wrth i Mr Prys ddefnyddio'i droed i'w

gwthio ar draws y llawr.

Neidiodd Meurig Morris mewn braw wrth weld y llygoden yn llithro tuag ato, a chan sgrechian yn uchel gollyngodd y cleddyf o'i law. Yn hytrach na tharo Lleucu, glaniodd y cleddyf ar droed Meurig ei hun. "AW!" gwaeddodd.

Chymerodd Mr Prys ddim sylw ohono. Yn hytrach, plygodd i lawr a mwytho Blodwen. "Fe af i ffonio'r Cartref Cathod nawr," meddai, "a dweud wrthyn nhw na fyddi di'n mynd yno wedi'r cwbl. Ac fel gwobr arbennig am dy waith, fe gei di sardîns blasus i swper heno!"

"A llond soser o hufen gen i," ychwanegodd Mrs Morgan wrth i'r Pennaeth adael y stafell.

Rhwbiodd Blodwen yn hapus yn erbyn coesau Mrs Morgan, a mewian wrth Cadi, "Llwyddiant!"

Cerddodd Mrs Morgan yn ôl i flaen y dosbarth. "Dyna ddigon o gyffro am un diwrnod!" cyhoeddodd. "Mae 'na ddigon o amser ar ôl i chi dynnu llun cyflym o Melangell a Meurig yn eu gwisgoedd."

"Ddylen ni ddim cael gwared o'r llygoden yn gyntaf?" holodd Melangell.

"Dylen, sbo," atebodd Mrs Morgan yn grynedig, a thynnu hances bapur o'r bocs ar ei desg i orchuddio'i llaw. Gan grychu'i thrwyn, estynnodd at y corff bach blewog ar y llawr . . .

Daliodd Cadi ei gwynt. Dyma'r unig ran o'r cynllun nad oedden nhw wedi cael cyfle i'w ymarfer. *Dim ond*

gobeithio y bydd Lleucu'n gallu actio'n farw am ychydig amser eto, meddyliodd, ac y bydda innau'n gallu cyrraedd y bin sbwriel cyn iddo gael ei wagio.

Ond, ar yr eiliad olaf, tynnodd Mrs Morgan ei llaw yn ôl. "Alla i ddim, sori," llefodd. "Falle taw jobyn i ddyn yw hon . . ."

"Peidiwch ag edrych arna i," meddai Meurig gan gamu'n ôl yn gyflym. "Dwi'n casáu llygod!"

"Hy! Hen fabi mawr wyt ti!" cyhuddodd Melangell ef. "Ychydig funudau'n ôl roeddet ti'n esgus lladd draig, a nawr mae gen ti ofn llygoden fach! Ha ha!" chwarddodd, ac ymunodd nifer o'r plant eraill â hi.

Plethodd Meurig ei freichiau o'i flaen. "Wel," meddai'n herfeiddiol, "dwi ddim yn wahanol i unrhyw un arall – mae pawb yn y dosbarth yn ormod o fabi!"

"Nac ydyn ddim," cyhoeddodd Cadi gan gamu mlaen a gwenu. Roedd hyn yn gweithio allan yn well nag y gallai fyth fod wedi'i ddychmygu. Nawr roedd ganddi gyfle i wneud i Meurig edrych yn llwfr, ac achub bywyd Lleucu yr un pryd.

Plygodd i lawr, ac yn dyner a gofalus cododd Lleucu oddi ar y llawr.

"Waw!" ebychodd Melangell mewn rhyfeddod, a dechrau curo dwylo. Ymunodd Ela Grug â hi, yna Anwen a Delyth, yna gweddill y dosbarth . . . pawb heblaw Meurig. Safodd e yn ei unfan, a golwg bwdlyd ar ei wyneb.

Yn sydyn, teimlodd Cadi'r corff bach yn symud yn ei dwylo. Cododd un llaw i guddio'i cheg, er mwyn gallu sibrwd wrth Lleucu, "Paid ti â meiddio ymgrymu! Os symudi di nawr, bydd popeth ar ben!"

Diolch byth, gorweddodd Lleucu'n llonydd eto, a brysiodd Cadi at y drws. "Fe rof i'r llygoden yn y bin tu allan, Mrs Morgan," meddai.

"Diolch yn fawr i ti, Cadi," atebodd yr

athrawes, gan ddal y drws ar agor iddi. “A chofia olchi dy ddwylo wedyn,” rhybuddiodd.

Symudodd Lleucu ddim nes ei bod hi a Cadi ar bwys y biniau mawr yn y buarth. “Dwyt ti ddim wir yn bwriadu fy rhoi i yn y bin, wyt ti?” gwichiodd mewn braw.

“Nac ydw siŵr,” atebodd Cadi. Yn ofalus, llithrodd y llygoden i mewn i boced ei sgert, gan wneud yn siŵr nad oedd ei chynffon yn y golwg. “Paid ti â meiddio symud, na gwneud smic o sŵn. Ti’n deall?”

Cerddodd Cadi’n ôl i’r ysgol gan ddal ei llaw dros ei phoced rhag ofn i’r teithiwr bach gwympo allan. Anelodd yn syth am doiledau’r merched, a sgwrio’i dwylo gyda digon o sebon –

rhag ofn i Mrs Morgan eu harchwilio.

Erbyn iddi gyrraedd y stafell ddosbarth, roedd hi'n amser mynd adref. Ond doedd Cadi ddim yn bwriadu mynd ar unwaith . . . roedd ganddi un dasg ar ôl cyn y byddai'r cynllun wedi'i gwblhau.

Cipiodd ei bag ysgol, ac anelu am y giât lle roedd criw o rieni'n sefyll yn aros am eu plant. Gwthiodd Cadi ei ffordd drwyddyn nhw, gan ofalu peidio â gwasgu Lleucu yn ei phoced, yna trodd i lawr y lôn gul oedd yn arwain at lan y môr.

Diolch byth, doedd drws Neuadd yr Ynys ddim ar glo, ac wrth iddi wrando'n astud sylweddolodd fod rhywun y tu mewn, yn canu'r piano.

"O, dyna hyfryd!" ochneidiodd Lleucu

wrth i Cadi ei thynnu allan o'i phoced. "Dwi wrth fy modd gyda'r darn yma . . . la, la, tra la la . . ."

Dringodd Cadi'r stepiau'n ddistaw bach, a gosod Lleucu ar lawr y cyntedd. "Hwyl i ti, Lleucu fach," sibrydodd. "A chofia beth ddwedais i – paid â gadael i neb dy weld di!"

"Wna i ddim," atebodd Lleucu. "A diolch i ti am bopeth. O, fe fydda i wrth fy modd yn byw fan hyn."

Ac i ffwrdd â hi, gan ddawnsio a throelli a neidio i'r gerddoriaeth, nes dod o hyd i dwll yn y sgyrtin. Oedodd am eiliad, a chodi un bawen ar Cadi cyn gwasgu i mewn i'r twll a diflannu.

Arhosodd Cadi nes bod cynffon Lleucu wedi mynd o'r golwg yn llwyr. Yna aeth allan o'r Neuadd a cherdded i gyfeiriad Caffi Cynnes. Ond wrth iddi droi i mewn i'r Stryd Fawr, pwy welodd hi ond Melangell Mair.

O, na! meddyliodd Cadi. *Fe fydd hi'n siŵr o ddweud rhywbeth cas wrtha i.* Ond cafodd sioc wrth i Melangell

wenu'n garedig arni a dweud, "Diolch yn fawr am beth wnest ti yn yr ysgol pnawn 'ma."

"Dim ond llygoden fach oedd hi," meddai Cadi gan wenu.

"Nid sôn am y llygoden o'n i," atebodd Melangell. "Ro'n i'n edmygu'r ffordd roeddet ti wedi delio â Meurig. Hen fwli mawr yw e, ac roedd hi'n hen bryd i rywun ei roi e yn ei le."

"Fe fydd e'n fy nghasáu i nawr," meddai Cadi. "Ond dyna fe – doedd e ddim yn fy hoffi i o'r dechrau."

"Ro'n innau'n teimlo 'run fath – a sawl un arall hefyd. Ond fe fydd pethe'n wahanol o hyn mlaen," ychwanegodd Melangell, gan estyn bag papur i Cadi. "Hoffet ti fefus neu ddwy? Fy ffordd i o ddweud 'sori'."

“Grêt, diolch!” atebodd Cadi, gan afael mewn ffrwyth coch, aeddfed, a brathu i mewn iddo.

Achub Blodwen rhag y Cartref Cathod, a rhoi cartref newydd i Lleucu – dyna oedd y cynllun gwreiddiol. “Ond,” meddai Cadi wrthi’i hun, “dwi wedi llwyddo i wneud llawer mwy na hynny – dwi wedi gwneud ffrindie newydd. Fy ffrindie cyntaf ar yr Ynys, heblaw am y criw, wrth gwrs!

“Hwrê! O hyn ymlaen, bydd bywyd ar yr Ynys – ac yn yr ysgol – yn llawer mwy o hwyl!”

Rhagor o lyfrau

Cadi Wyn

i ddod cyn bo hir

Cadi Wyn
a'r
Mwclis
Hud
Antur gyda'r ferch
sy'n deall iaith anifeiliaid
Diana Kimpton
Addasiad Eleri Huws